QUINO

La famille de Mafalda

TOME 7

EDITIONS Glénat

LE GOUVERNEMENT NE FAIT PAS FI DE CEUX QUI METTENT EN QUESTION CETTE LOI...

MAIS IL TIENT À FAIRE SAVOIR QU'AUCUN GROUPE DE PRESSION NE POURRA EMPÊCHER QU'ELLE SOIT STRICTEMENT APPLIQUÉE.

C'EST CE QU'ON APPELLE TENIR LA SUCETTE PAR LE BÂTON ! HEIN ?

JE VAIS TE DIRE TON AVENIR, FELIPE. TIRE UNE CARTE.

ET MAINTENANT TOURNE-TOI ET FROTTE-TOI LE NEZ EN DISANT: "JE T'EN CONJURE, JE T'EN CONJURE, JE TE TRANSMETS MON AVENIR".

"JE T'EN CONJURE, JE T'EN CONJURE, JE TE TRANSMETS MON AVENIR."

MAINTENANT RENDS-LA MOI EN RÉPÉTANT "UKA-UKA".

"UKA-UKA".

BON, JE VOIS QUE TON AVENIR EST CELUI D'UN IMBÉCILE, PRÊT À FAIRE TOUTES LES IDIOTIES QU'ON LUI DEMANDE.

PSIT ! MAFALDA, TIRE UNE CARTE ET JE TE DIRAI TON AVENIR.

QUELLE BÊTISE, SUSANITA. ÇA FAIT UN MOMENT QUE L'ONU A TIRÉ LA SIENNE ET TU CROIS QU'ELLE SAIT OÙ ELLE VA ?

MA MÈRE DEMANDE QUE TU NE NOUS APPORTES PAS LA COMMANDE, MANOLITO, PARCE QUE LA SEMAINE PROCHAINE ON PART EN VACANCES.

D'ACCORD.

HA ! HA !

IL Y A QUELQUES ANNÉES, SI J'AVAIS VU UN TYPE AVEC ÇA, J'AURAIS PENSÉ: VOILÀ UN FOU !

TU TE VANTES !

TU AVAIS LE DIAGNOSTIC AUSSI SÛR QUE ÇA ?

AH! ENFIN, ON Y EST!

LUI AUSSI!

C'EST DRÔLE, LES GENS EN VACANCES...

...ON DIRAIT QU'ILS NE SONT PLUS RESPONSABLES DE RIEN.

TROISIÈMEMENT, TU AS EU TORT DE LABSER FAIRE...

...ET DOUZIÈMEMENT TU...

SALUT, COMMENT TU T'APPELLES?

MARIA ALEXANDRA DEL PILAR UGARTE LACLOS.

MA PAUVRE! TU T'IMAGINES LE TEMPS QUE TU AURAIS POUR PARLER SI TU N'AVAIS PAS UN NOM AUSSI LONG?

4

BRR! ÇA FAIT L'EFFET D'UNE NOUVELLE INTERNATIONALE DE DERNIÈRE MINUTE!

EH! QU'EST-CE QUE TU FAIS?

RIEN! T'AVAIS UN BIKINI DANS L'OEIL!

QUAND ON PENSE QUE COMPARÉE À L'UNIVERS, LA TERRE N'EST PAS PLUS GROSSE QUE CE GRAIN DE SABLE.

TU TE RENDS COMPTE QUE LES ÊTRES HUMAINS SONT À PEINE DE MINUSCULES MICROBES, NON?

NON!

TU ENTENDS QUOI, GUILLE?

TUT, TUT, TUT, TUT, TUT, TUT, TU

OUF! QUAND ON RENTRE DE VACANCES, ON SE SENT UN AUTRE HOMME!

REGARDE, CES IMBÉCILES ONT ENVOYÉ DES FACTURES À CELUI QUE TU ÉTAIS AVANT!

RACONTE-MOI LA PLAGE, MAFALDA! TA MÈRE S'EST AMOURACHÉE DU MAÎTRE-NAGEUR?

DU MAÎTRE-NAGEUR?

IDIOTE! SEXY COMME ILS SONT LES MAÎTRES-NAGEURS, ET TU NE L'AS PAS VU?

SI, JE L'AI VU! MAIS JE NE ME SUIS PAS DEMANDÉE S'IL ÉTAIT SEXY. J'AI PENSÉ QUE PENDANT QU'IL VEILLAIT SUR QUELQUES VIES HUMAINES, ON FABRIQUAIT DES MILLIERS DE BOMBES QUI...

SUSANITA?

MON PÈRE PENSE QUE LES MEILLEURES VACANCES, C'EST LE TRAVAIL.

C'EST ÉVIDENT! EN VACANCES, ON DÉPENSE DE L'ARGENT; MAIS EN TRAVAILLANT, ON EN GAGNE!

DE L'ARGENT! ET LA SANTÉ, ALORS? L'ARGENT, C'EST UNE CHOSE, ET LA SANTÉ, C'EN EST UNE AUTRE!

AH, BON?!

PENDANT LES VACANCES, JE N'AI LU À PEU PRÈS AUCUN JOURNAL, ALORS JE ME METS AU COURANT!

ET J'AI TROUVÉ UNE PHRASE, FELIPE. UNE PHRASE!

QUELLE PHRASE?

"MIEUX VAUT MOURIR DEBOUT QUE VIVRE À GENOUX".

ET MOI JE DIS... EST-CE UN DÉSHONNEUR QUE DE RESTER ASSIS?

SI TU N'AS RIEN À FAIRE, VIENS SUR LA PLACE JOUER AVEC LES RÉVOLVERS?

JE PENSAIS LIRE "LES MERVEILLES DU MONDE QUI NOUS ENTOURE."

LES MERVEILLES DU MONDE QUI NOUS ENTOURE

ENFIN, SOIT! ALLONS AFFRONTER LA RÉALITÉ!

VOILÀ! J'ÉTAIS UNE BELLE ET TERRIBLE GANGSTERESSE! À LA TÊTE D'UNE BANDE DE DURS!

GANSTE QUOI?

MAIS AU FOND, JE N'ÉTAIS PAS MÉCHANTE. NON, J'ÉTAIS SEULEMENT... UN PRODUIT SOCIAL!

ENCORE UNE PAUVRE VICTIME DE CETTE SOCIÉTÉ CRUELLE, MÉCHANTE, ANONYME, COMMERCIALE, INDUSTRIELLE, FINANCIÈRE!

MOI, JE VEUX BIEN FAIRE LA POLICE, MAIS LE BANDIT, NON! AH ÇA NON ALORS!

LAISSONS-LE FAIRE LE FLIC, PAUVRE MIGUELITO! C'EST UN TENDRE! IL NE SAURAIT PAS FAIRE LE DÉLINQUANT!

EN PLUS, J'AI APPORTÉ UNE AIGUILLE POUR VOUS FAIRE AVOUER!

C'EST UN VOL!

SI LES PRIX NE VOUS CONVIENNENT PAS, ALLEZ AILLEURS, MADAME!

PARDON! C'EST L'HABITUDE!!

7

QUAND JE ME SUIS RENDUE COMPTE QU'IL ÉTAIT COUPÉ, CELA M'A RENDU FURIEUSE !

QUELLE HORREUR !

QUELLE ÉPOQUE MON DIEU ! ON NE SAIT PLUS SI LES GENS PARLENT DE LAIT OU DE CINÉMA !

ET ÇA?

PLANTE.

ET ÇA?

CHAISE.

ET ÇA?

ÇA.

ET POURQUOI DIABLE, JE VOUDRAIS ÊTRE GRAND QUAND JE SERAI GRAND? JE VEUX ÊTRE GRAND TOUT DE SUITE.

ET BIEN, MES PETITS ; L'AN PASSÉ DÉJÀ, ET MÊME AVANT, VOUS AVEZ APPRIS CE QUI CONSTITUE L'ESSENCE MÊME DE NOTRE CULTURE ET DE NOTRE BELLE LANGUE NATIONALE.

YEAH!

TU LA TROUVES COMMENT TA MAÎTRESSE APRÈS CETTE PREMIÈRE SEMAINE DE CLASSE ?

PAS MAL. ELLE NOUS A BEAUCOUP PARLÉ DE L'INSTRUCTION.

ELLE NOUS A DIT QUE L'ÉCOLE EST UN TEMPLE DU SAVOIR.

EN ESPÉRANT QUE CETTE ANNÉE, JE PIGE LA LITURGIE.

C'EST CE QU'A DIT À MA MÈRE LA GROSSE BOULANGÈRE, CELLE QUI SORT AVEC LE FILS DE LA DAME DU TROISIÈME, CELUI QUI ÉTUDIE LA NUIT PARCE QUE DANS LA JOURNÉE IL TRAVAILLE POUR...

...AIDER SA FAMILLE. LE PAUVRE ! SI SON PÈRE N'ALLAIT PAS JOUER AUX COURSES, CE NE SERAIT PAS NÉCESSAIRE, ET ILS N'AURAIENT PAS AUTANT DE DETTES CHEZ LE BOUCHER, QUI VIENT DE...

...S'ACHETER UN TAXI, LE BOUCHER, TU TE RENDS COMPTE ! LE CHAUFFEUR C'EST SON BEAU-FRÈRE, CELUI QUI S'EST MARIÉ AVEC LA MODISTE QUI SORTAIT AVANT AVEC LE ROUQUIN QUI AVAIT EU DES ENNUIS AVEC...

ÉCHEC ET MAT, SUSANITA !

POURQUOI ? MAIS POURQUOI JE N'AI JAMAIS DE CHANCE !

MON PÈRE, C'EST TOUS LES JOURS LA MÊME CHOSE !

"BONJOUR - AU REVOIR" !
"SALUT ! OUF ! JE SUIS MORT ! LE DÎNER EST PRÊT ! ENFIN ! AU LIT ! OUF ! À DEMAIN !"

ET MA MÈRE : "NE SALIS PAS LE PARQUET ! NE MONTE PAS AVEC TES CHAUSSURES SUR LE FAUTEUIL ! ATTENTION À TES AFFAIRES ! MONTRE-MOI TES OREILLES !"

FRANCHEMENT, SANS MOI, JE NE SAIS PAS CE QUE JE FERAIS.

MAMAN, MAFALDA RESTE GOÛTER!

D'ACCORD!

MAIS ATTENTION, MA MÈRE N'AIME PAS QU'ON LAISSE REFROIDIR LA TASSE DE CHOCOLAT.

ALORS, QUAND ELLE NOUS APPELLERA, IL NE FAUDRA PAS LA FAIRE ATTENDRE PLUS D'UN MORT OU DEUX!

HIER, J'AI VU À LA TÉLÉ UN FILM SUPER. C'ÉTAIT LA GUERRE ET LE HÉROS SE BATTAIT...

QUELLE GUERRE?

LA DERNIÈRE; ET ALORS LE HÉROS SE BATTAIT.

LA DERNIÈRE CONTRE QUI?

CONTRE LES JAPONAIS; ET LE HÉROS SE BATTAIT.

MAIS NON, VOYONS, CE N'EST PAS LA DERNIÈRE

ET ALORS, POURQUOI IL SE BATTAIT LE HÉROS? HEIN? POURQUOI?

FELIPE, TU AS VU À LA TÉLÉ LE FILM DE GUERRE CONTRE LES CHINOIS?

C'ÉTAIT PAS DES CHINOIS, C'ÉTAIT DES JAPONAIS.

TU NE LIS PAS LES JOURNAUX? CEUX DONT JE PARLE C'ÉTAIT DES MÉCHANTS; ET LES MÉCHANTS, C'EST LES CHINOIS, NON?

CEUX-LÀ, C'ÉTAIT DES JAPONAIS!

MAIS NON! CEUX DONT JE TE PARLE, AU PREMIER QU'ILS VOYAIENT, ILS ESSAYAIENT DE LEUR PLACER UNE BALLE ET PAS UNE CALCULETTE.

10

11

12

J'AI GAGNÉ! J'AI GAGNÉ! HIP HIP HOURRA!

J'AI GAGNÉ! OUAIS! VICTOIRE!!!

J'AI GAGNÉ! TRALALAIRE! J'AI GAGNÉ!

SNIF.

POURQUOI TU APPORTES ÇA ICI?

J'AI PENSÉ QUE TU PRÉFÈRERAIS PLEURER POUR DES MOTIFS MOINS FUTILES QU'UN OIGNON!

MONSIEUR L'AGENT! VOUS SURVEILLEZ TOUT LE QUARTIER, MAIS PAS MA MAISON, D'ACCORD?

ET POURQUOI PAS TA MAISON?

ON NE CONNAÎT PAS L'AVENIR.

SUPPOSEZ QUE DEMAIN J'AILLE À L'UNIVERSITÉ. SUPPOSEZ QU'IL Y AIT UNE MANIF ET QU'ON SE TROUVE FACE À FACE...

VAIS-JE M'ATTAQUER À QUELQU'UN QUI A GARDÉ MA MAISON?

DES ENFANTS! C'EST TOUT CE QUE JE DEMANDE À LA VIE!

PARCE QUE L'APPARTEMENT, LA VOITURE, LE FRIGIDAIRE, LA MACHINE À LAVER, LA TÉLÉ, JE LES DEMANDERAI À MON MARI; JE NE SUIS PAS IDIOTE.

TU SAIS QU'ON OUVRE UN MAGASIN DE JOUETS AU COIN DE LA RUE?

TU SAIS QU'ON OUVRE UN MAGASIN DE JOUETS AU COIN DE LA RUE?

TU SAIS QU'AU COIN DE LA RUE, À CÔTÉ DU TAILLEUR QUI A FAIT LE COSTUME DE MARIÉ DU FILS DE LA MANUCURE ET LE SOIR DE LA NOCE, IL EST ALLÉ À L'ÉGLISE SE LE FAIRE PAYER ET L'AUTRE NE VOULAIT PAS, ALORS IL Y A EU UNE BAGARRE TERRIBLE ET LA MARRAINE S'EN EST MÊLÉE, AVEC ÇA QU'ELLE LEUR AVAIT FAIT UN CADEAU DE MISÈRE, POURTANT ELLE TOUCHE LA RENTE DE SON MARI ET PUIS ELLE A LE LOYER DE LA PETITE PIÈCE DE LA TERRASSE À CÔTÉ DE L'ÉLECTRICIEN; ON OUVRE UN MAGASIN DE JOUETS?

OUF! SALOPERIE DE TRAVAIL! JE VAIS ME REPOSER UN PEU ICI!

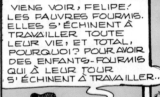

VIENS VOIR, FELIPE! LES PAUVRES FOURMIS. ELLES S'ÉCHINENT À TRAVAILLER TOUTE LEUR VIE, ET TOTAL, POURQUOI? POUR AVOIR DES ENFANTS-FOURMIS QUI À LEUR TOUR S'ÉCHINENT À TRAVAILLER...

TOUTE LEUR V...

SNIF!

Y A DES GENS BIZARRES, NON?

TU CROIS QUE LES FOURMIS SE SENTENT LIBRES?

HHMM! À LES VOIR MARCHER À LA QUEUE LEU LEU ET SANS PIPER, ON DIRAIT QU'ELLES NE SONT PAS TRÈS LIBRES.

POURTANT, ELLES N'ONT PAS L'AIR ABATTU.

NON, C'EST VRAI.

ON VOIT QU'ELLES ONT UN CERVEAU DE FOURMI ET VOILÀ TOUT.

SALUT, D'OÙ VIENS-TU?

DE LA PLACE.

TU AS VU LA STATUE DU TYPE BARBU QUI EST COMME ÇA?

NON, JE REGARDAIS LES FOURMIS.

JE PARIERAIS QUE CETTE FILLE NE SERA JAMAIS DIRECTRICE D'ÉCOLE!

14

HIER J'AI RÊVÉ QUE J'ÉTAIS À L'ONU OU QUELQUE CHOSE COMME ÇÀ.

COMMENT "COMME ÇÀ"?

QUELQUE CHOSE COMME L'ONU.

MAIS C'ÉTAIT L'ONU, OUI OU NON?

C'ÉTAIT UNE GRANDE SALLE PLEINE DE DÉLÉGUÉS DE BEAUCOUP DE PAYS. ÇA, C'ÉTAIT L'ONU!

L'ONU EST MORT?

MAIS NON, MIGUELITO?

OUF!

J'AI CRU QU'ON AVAIT PERDU NOS SYMPATHIQUES INOPÉRANTS.

ÇÀ N'EST PAS POUR TOI, GUILLE. C'EST FINI.

PAUVRE GUILLE! EN PLEIN MILIEU D'UN FEUILLETON, MA MÈRE A DÉBRANCHÉ LA TÉLÉVISION! TU NE DEVINERAS JAMAIS CE QU'IL A FAIT?

QUOI?

IL A REGARDÉ DANS LES PETITS TROUS DE LA PRISE DE COURANT, CROYANT QU'IL POURRAIT VOIR AUSSI BIEN PAR LÀ!

LE PAUVRE!

COMME SI, AVEC LA TAILLE QU'ONT LES IMAGES DANS LE CÂBLE, QUELQU'UN POUVAIT VOIR QUELQUE CHOSE!

15

ON NE VA PAS SE BRÛLER POUR QUELQUES MÉCHANTS BILLETS DE BANQUE, NON ?

J'IMAGINE L'INCENDIE SI CHAQUE BILLET DEVAIT RECEVOIR UN CERTIFICAT D'HYGIÈNE !

REGARDE LA PHOTO DE LA LUNE QUE JE VAIS METTRE DANS MA CHAMBRE.

FANTASTIQUE !

REGARDE LA PHOTO DE LA LUNE QUE JE VAIS METTRE DANS MA CHAMBRE.

TERRIBLE !

REGARDE LA PHOTO DE LA LUNE QUE JE VAIS METTRE DANS MA CHAMBRE.

ELLE A DE L'ACNÉ JUVÉNILE, TA LUNE !

QU'EST-CE QUE TU AS, FELIPE ? À CETTE VITESSE, TU SERAS EN RETARD À L'ÉCOLE !

IL Y A QUE NOUS N'ALLONS PAS TOUS À L'ÉCOLE PAR LE SENTIER DE LA VOCATION.

DIS-MOI, PAPA, QUAND TU ÉTAIS PETIT, TU N'EN AVAIS PAS MARRE, DES FOIS, DE L'ÉCOLE ?

QUELLE IDÉE ? MARRE DE L'ÉCOLE ?

OUI ! DE L'ÉCOLE, DE LA MAÎTRESSE, ET DES OPÉRATIONS.

LES OPÉRATIONS.

ET LES ANALYSES, OUI, ET LES CARTES DE GÉOGRAPHIE ET LES DICTÉES ET...

C'EST ELLE QUI A COMMENCÉ !

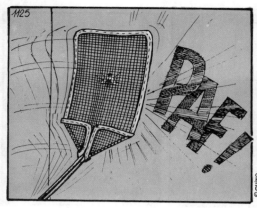

RiiiiiiiiiiiiiiiiiiiiiiiiiiINNNNG!...
LA RÉCRÉ!

PLINK!

TU AS VU COMME LES DÉCORATEURS DE L'ÉDUCATION NATIONALE ONT RÉUSSI À DONNER LE MÊME STYLE À TOUTE L'ÉCOLE?

LA COMMANDE (OUF).

JE FAISAIS LA LESSIVE, ENTRE.

JE VAIS CHERCHER MON PORTE-MONNAIE, ATTENDS.

ET MAFALDA?

PAR ICI, LA PAUVRE! ELLE FAIT SES DEVOIRS POUR DEMAIN!

AH OUI!

LAISSE-ÇA! IMPRODUCTIF!

QUELLE JOURNÉE! ROLLIN A LA GRIPPE! BEXIGA N'EST PAS VENU NON PLUS, PARCE QU'IL A DES ENNUIS, JE CROIS...

QU'IL SE SÉPARE DE SA F...

...LÛTE, OUI! IL JOUAIT DANS UN ORCHESTRE ET IL ABANDONNE.

ÉVIDEMMENT!

MORALITÉ: NE TE MARIE JAMAIS PAR OUÏ-DIRE.

...DÉCLARE QUE DEVANT LES ÉVÉNEMENTS QUI SONT DU DOMAINE PUBLIC...

AH NON!

CLACK!

BON.

CLACK!

...SI TU CROIS QUE C'EST LE PUBLIC QUI DOMINE LES ÉVÉNEMENTS.

DANS MA CLASSE, IL Y A UN GARÇON QUI A PEUR DU NOIR...

IL LUI EST ARRIVÉ QUELQUE CHOSE UNE NUIT, LE PAUVRE.

LE PAUVRE! IL NE LUI EST JAMAIS RIEN ARRIVÉ! MAIS IL PENSE QUE DANS LE NOIR IL PEUT Y AVOIR, J'SAIS PAS... DES CHOSES.

DES CHOSES?

OUI. DES CHOSES HORRIBLES, QU'IL DIT!

BOF!

ENCORE UNE DE CES LAVETTES QUI CROIT À DES BÊTISES!

EXACTEMENT!

CETTE DOUBLE VIE N'EST PLUS SUPPORTABLE!

POURQUOI ON NE GLOUSSE PAS? ON VIENT DE PONDRE L'OEUF D'UN PULL-OVER, NON?

BONJOUR FILLETTE. JE VIENS TOUCHER UNE TRAITE.

QUI C'EST, MAFALDA?

UN ONCTUEUX MATÉRIALISTE.

NEW YORK: EXHORTATION DU SECRÉTAIRE GÉNÉRAL DE L'ONU POUR UN PLAN DE DÉSARMEMENT.

EXHORTATION? QU'EST-CE QUE ÇA VEUT DIRE?

"PERTE DE TEMPS" JE SUPPOSE, OU QUELQUE CHOSE COMME ÇA!

DICTIONAIRE

"EXHORTER: ENCOURAGER VERBALEMENT".

CE QUE JE DISAIS!

DICTIONAIRE

23

LE SOLEIL DE LA PATRIE BRILLA AVEC SPLENDEUR EMPLISSANT LES ÂMES D'UN AMOUR SANS PEUR

1145

C'EST BIEN, MES ENFANTS! ET MAINTENANT

MADEMOISELLE!

QU'EST-CE QUE TU VEUX MON PETIT?

POURQUOI NOUS NE CHANTONS

MAMAN, J'AI PRIS UN RENDEZ--VOUS AVEC LA PROFESSEUR DE CHANT DEMAIN À 8H SANS FAUTE POUR QUE TU LUI PARLES DES BEATLES.

1146

BONK!

BONJOUR, MANOLITO. TU AS DE LA PÂTE DE COINGS?

BIEN SÛR.

LE COURANT OU LE PSYCHÉDÉLIQUE?

300$ 306$

PST, GUILLE! TURULÍTI! TURULÍTI!

1147

GRUNCHI-GRUNCHI! PANCHOTA PANCHOOOTA!

cuíííc!   cuíííc!

cuíííc!

1148

cuíííc!   cuíííc! cuíííc!

cuíííc! cuíííc!   cuíííc!

C'EST LAMENTABLE! UN PAYS QUASIMENT NEUF, ET ÇA GRINCE DÉJÀ!

24

PAPA, DANS LES PUBLICITÉS-LÀ, TU ME DÉCOUPES LA VOITURE QUE TU VEUX T'ACHETER ?

C'EST MAMAN !

MAMAN !

LÀ-LÀ !

MAIS NON, GUILLE! CE N'EST PAS MAMAN, C'EST BRIGITTE BARDOT!

ROUAH!..

CARNET MONDAIN: MADAME VICTORIA ELENA PICHLELIT DE MONGORRY CORNA EST ALITÉE.

LA PAUVRE!

ELLE N'A QU'UN MATELAS ET UN SOMMIER POUR SE METTRE EN VALEUR.

CE CHAT PASSE TOUJOURS PAR ICI, TU AS VU ?

MAIS NON, CELUI DONT TU PARLES, CE N'EST PAS CELUI-LÀ, C'EST LE FRÈRE D'UNE AUTRE PORTÉE, QUE LA MÈRE A EU AVEC LE CHAT DU BAZAR, LE GRIS QU'ON VOIT AUSSI AVEC LA CHATTE DU DENTISTE, TU T'IMAGINES ÇA, COMMENT VEUX-TU SAVOIR...

T'EN FAIS PAS FELIPE ! J'AI CASSÉ TON ARC MAIS JE VAIS T'EN ACHETER UN PAREIL.

NON MANOLITO ! JAMAIS TU NE POURRAS M'EN ACHETER UN PAREIL.

PAREIL, JE TE DIS ! IL N'EST PAS SI CHER QUE ÇA !

NON, IL N'EST PAS CHER. MAIS CELUI-LÀ, C'EST MON PÈRE QUI ME L'AVAIT ACHETÉ. ET SI TOI TU M'EN ACHÈTES UN AUTRE, CE NE SERA PAS LA MÊME CHOSE, TU COMPRENDS ?

AH ! PARCE QU'ON LUI FAIT UNE RISTOURNE SPÉCIALE ?

"Interrogation écrite" HISTOIRE NATIONALE - Repondez aux questions suivantes:

PST !

Aide-moi: qui a occupé pour la 1ère fois le fauteuil présidentiel dans notre pays?

PST !

Ceux d'avant gouvernaient debout ?

ET BIEN TU VOIS, ÇA, ÇA ME PLAIRAIT: ÊTRE PRÉSIDENT DE LA RÉPUBLIQUE ! PAS TOI ?

MM, NON, C'EST TRÈS COMPLIQUÉ MIGUELITO.

BON, PAS ÊTRE PRÉSIDENT-PRÉSIDENT. J'SAIS PAS MOI ! UN TRUC DE CE GENRE !

ENCORE MOINS ! C'EST UNE PROFESSION TROP COURUE !

26

HUM? HUM?

PFF!

TU FAIS DE LA SOUPE, MAMAN?

OUI.

ET ÉVIDEMMENT, TU VOUDRAS M'OBLIGER À LA MANGER, NON?

EXACTEMENT.

ET BIEN! ON AURA UNE SCÈNE, PARCE QUE CES TEMPS-CI JE PERDS TOUT RESPECT DE L'AUTORITÉ!

EN VRAI, LES PARENTS SONT TRÈS COMPLIQUÉS!

HEIN?

MA MÈRE DIT QU'ELLE NE VEUT PAS QUE JE LUI DONNE LA MIGRAINE.

MAIS C'EST PAS ÇA LE PROBLÈME.

ON DIRAIT QUE MES FESSES LUI SERVENT D'ASPIRINE.

VOYONS VOIR MIGUELITO. 8×9?

INUTILE DE PENSER AU-DESSUS DE SES MOYENS... JE SAIS 8×5.

PAPA?

PAPA TRAVAILLE, GUILLE?

POURQUOI?

PARCE QUE QUAND ON EST GRAND, IL FAUT TRAVAILLER.

POURQUOI?

PARCE QUE AUTREMENT ILS NE PEUVENT PAS ACHETER LA NOURRITURE, LES VÊTEMENTS, RIEN DE RIEN.

POURQUOI?

PARCE QUE LE MONDE FONCTIONNE COMME ÇA, GUILLE!

POURQUOI?

UN AN ET DEMI, ET DÉJÀ CANDIDAT AUX GAZ LACRYMOGÈNES!

VOICI VENIR LE COMMANDANT NEIL ARMSTRONG, VOYAGEUR DE L'ESPACE.

1169

LA NASA L'A ENVOYÉ EN MISSION SPÉCIALE CHERCHER DES TRACES DU SOL LUNAIRE.

BONJOUR, MA MÈRE M'ENVOIE CHERCHER UNE DEMI-LIVRE DE BEURRE.

LE COMMANDANT NEIL ARMSTRONG REVIENT, AVEC L'INTENTION DE NE PAS RENDRE LA MONNAIE À LA NASA QUI LE FATIGUE AVEC SES MISSIONS SPÉCIALES !

MON DIEU ! ET SI J'AI UN FILS ASTRONAUTE.

1170

CE SERAIT HORRIBLE ! MON FILS TOURNANT LÀ-HAUT !

ET MOI, LÀ, EN BAS !

LE COEUR TORDU DE TORTICOLIS !

ET QUOI LES NORD-AMÉRICAINS ? LES NORD-AMÉRICAINS N'AURAIENT PAS FAIT 100m SANS VON BRAUN !

1171

ET VON BRAUN NE SERAIT RIEN SANS L'AIDE QU'IL A REÇUE DE HITLER.

ET HITLER N'AURAIT RIEN ÉTÉ SANS LES IDÉES QU'IL A EMPRUNTÉES À QUI ?

A MUSSOLINI ! ALORS HEIN, SANS LE DUCE, À LA GARE, LA CONQUÊTE DE LA LUNE !

ENCORE UNE CHANCE QUE J'AIE UN GRAND-PÈRE POUR M'OUVRIR LES YEUX, SINON...

1172

EN VRAI, AVOIR MIS UN PIED SUR LA LUNE, C'EST UN EXPLOIT EXTRAORDINAIRE !

MAIS MON DIEU, IL EN RESTE DU TERRAIN À PIÉTINER !

SÉTU KE BESTIPLANÉTA DÉPOZ ZOBJETIS ON SURFAZ LUNATIC?

ON SURFAZ LUNATIC?

DA! AVEK ZOBJETIS, CLIC! CLIC! BESTI-PLANÉTA PHOTO-GRAPHINK MARS-PLANÉTA.

ZON KOMMENCÉ BESTIKONTAMINATION UNIVERSATIL!

CETTE NUIT, J'AI FAIT UN RÊVE ÉTRANGE!

ET MOI, UN RÊVE SENSATIONNEL!

POURQUOI FELIPE? QU'EST-CE QUE TU AS RÊVÉ?

QUELQUE CHOSE DE MERVEILLEUX.

SI JE POUVAIS FAIRE CE RÊVE TOUTES LES NUITS!

MAIS C'ÉTAIT QUOI? TU FAISAIS QUOI?

JE MARCHAIS SUR LES PELOUSES! JE ME PENCHAIS PAR LA FENÊTRE ET JE SORTAIS MES BRAS! JE COLLAIS DES AFFICHES! JE PRENAIS LE SENS INTERDIT! JE CRACHAIS PAR TERRE!...

HOUPA. ARRÊTE AVEC TES HOUPA ET VAS-T'EN!

NA! HOUPA!

C'EST POUR MÂCHER, MAIS IL NE FAUT PAS L'AVALER!

LE DISCOURS DE QUI?

31

HIER SOIR, MA MÈRE A VOULU BRANCHER LA TÉLÉVISION. RIEN À FAIRE!

ALORS TOUT LE DÎNER ET TOUTE LA SOIRÉE JUSQU'À L'HEURE D'ALLER AU LIT, SANS TÉLÉ!

HIER SOIR, J'AI COMPRIS COMBIEN MES PARENTS SONT ENNUYEUX!

TIENS! VOILÀ! C'EST LA VOITURE QUE MON PÈRE VEUT S'ACHETER!

POUR IMPRESSIONNER QUI?

MAIS SANS RIRE, TU ES VRAIMENT CONTENTE QUE TON PÈRE VEUILLE S'ACHETER UNE VOITURE COMME ÇA?

BIEN SÛR, MIGUELITO!

C'EST UNE DES RARES VOITURES OÙ L'IMPORTANT RESTE LA PERSONNE.

MAMAN, TU AS PUNI GUILLE PARCE QU'IL ÉCRIVAIT SUR LE MUR?

OUI, POURQUOI?

PARCE QUE DANS CE CAS, NOUS RÉCLAMONS LA LIBERTÉ DE LA PRESSE POUR LES MINORITÉS, TU ENTENDS?

LES MONOCO-
TYLÉDONS
SONT DES
FEUILLES
SANS PÉTIOLES
ET LEURS PÉTA-
LES ET LEURS
ÉTAMINES SONT
DISPOSÉS PAR
GROUPES
DE TROIS.

LES MONOCO-
TYLÉDONS
SONT DES
FEUILLES SANS
PÉTIOLES, ET
LEURS PÉTALES
ET LEURS
ÉTAMINES SONT
DISPOSÉS PAR
GROUPES DE
TROIS.

LES MON...

BUUUUT!

LES MOCOPECIOLONI...
NON! LES
MONOTICOLÉD...NON!
VOYONS! LES
MOTIDO.... FLÛTE.
C'ÉTAIT QUOI?

JE DOIS ÊTRE EN TRAIN DE
GRANDIR. MA TÊTE S'ÉLOIGNE
DE PLUS EN PLUS DE
MON NOMBRIL!

QU'EST-CE QUE TU EN
PENSES, MANOLITO?
ON GRANDIT PLUS DU
NOMBRIL VERS LE BAS,
OU DU NOMBRIL
VERS LE HAUT?

JE N'AI PAS LE
TEMPS DE
RÉPONDRE À DES
IDIOTIES
PAREILLES?

ET PUIS, ON GRANDIT
MOINS DU NOMBRIL
VERS LE BAS,
IMBÉCILE! TU VOIS
PAS QU'IL Y A LE
SOL?

SSLUMB!
SGLUMB!

HOUBB!

AH,
MON
DIEU!

ENCORE DE LA
SOUPE, GUILLE?

OUI, MIAM!
LA SOUPE! MIAM

GHULF!

33

AUJOURD'HUI, MA MÈRE M'A ENVOYÉ AU MARCHÉ ET J'AI ENTENDU DEUX DAMES QUI PARLAIENT...

1185

DITES-DONC! QU'EST-CE QU'ELLE A FAIT CETTE PAUVRE FILLE? CÉLIBATAIRE, AVEC UN ENFANT!

QUELLE HORREUR!

TU TE RENDS COMPTE! MOI QUI CROYAIS QU'ON NE POUVAIT AVOIR D'ENFANT QUE SI L'ON ÉTAIT MARIÉ! ET EN FAIT, ON PEUT EN AVOIR QU'ON SOIT MARIÉE, CÉLIBATAIRE, VEUVE OU DIVORCÉE!

ET VA SAVOIR TOUTES LES AUTRES POSSIBILITÉS QUE JE NE CONNAIS PAS ENCORE!

DIS MAMAN, SI ON NE SE MARIE PAS, ON PEUT AVOIR DES ENFANTS?

EH! AH! OOUI!... POUVOIR, ON PEUT BIEN SÛR.

1186

MAIS LES ENFANTS DOIVENT VIVRE AVEC LEUR MÈRE ET LEUR PÈRE ET POUR CELA, IL FAUT SE MARIER, FONDER UN FOYER...

BON, BON! ÇA C'EST UN AUTRE PROBLÈME!

LE FAIT EST QUE MARIÉ OU CÉLIBATAIRE, ON PEUT AVOIR DES ENFANTS OU NE PAS EN AVOIR, COMME ON VEUT!

TRISTE DÉCOUVERTE, LES COPAINS! NOUS SOMMES DES OPTIONS!

NOUS NE SOMMES PAS SEULEMENT DES ÊTRES HUMAINS MANOLITO, NOUS SOMMES UNE DÉCISION DE NOS PARENTS, TU VOIS? S'ILS N'AVAIENT PAS VOULU D'ENFANTS... CIAO! ON N'AURAIT JAMAIS EXISTÉ!

1187

JAMAIS? COMMENT ÇA JAMAIS! QUAND J'AI UNE IDÉE DANS LA TÊTE MOI, JE LA GARDE. TU ENTENDS.

SI MES PARENTS N'AVAIENT PAS VOULU D'ENFANTS? TANT PIS POUR EUX.

AUJOURD'HUI, J'AURAIS D'AUTRES PARENTS, UN AUTRE NOM ET UNE AUTRE TÊTE! MAIS JE SERAIS NÉ!

BANG

1188

TU PARLES D'UN PROBLÈME! SI JE ME METS COMME ÇA, LES BANGS DE MON RÉVOLVER SONNENT PLUS GRAVES, MAIS C'EST UNE POSITION INCONFORTABLE!

COMME ÇA, ÉVIDEMMENT, NATUREL...

BANG!

QUI JE PEUX TUER AVEC UN RÉVOLVER SOPRANO?

UN RASAGE PARFAIT.

UN CHEMISE IMPECCABLE.

UN CAFÉ DÉLICIEUX.

UNE EXCELLENTE CIGARETTE...

...ET VOILÀ OÙ COMMENCE LA FIN DES CLICHÉS PUBLICITAIRES!

MAMAN?

QUOI?

DIEU EST VRAIMENT PARTOUT?

OUI, BIEN SÛR.

LE PAUVRE!

POURQUOI TU NE TE DÉCIDES PAS À PERDRE, MANOLITO? ON GAGNERAIT DU TEMPS!

REGARDE CE QUE LA MAÎTRESSE A ÉCRIT DANS MON CAHIER?

Felipe, des élèves appliqués comme toi ont devant eux une vie de dévouement au devoir et à l'étude. Courage!

C'EST LA PIRE JOIÉ QU'ON M'AIT JAMAIS DONNÉE!

DIS-MOI, MIGUELITO, QUI SONT NOS ANTIPODES ?

LES NAPONAIS.

ZÉRO, CRÉTIN !

ANDIPATHIQUE !

DIEU MERCI, VOILÀ LE PRINTEMPS !

GRÂCE À DIEU ME VOILÀ AU PRINTEMPS !

ET MOI QUI DIS DES BANALITÉS !

OUI, JE SAIS !

JE SAIS QUE MES DROITS S'ARRÊTENT LÀ OÙ COMMENCENT CEUX DES AUTRES.

MAIS, C'EST MA FAUTE SI LES DROITS DES AUTRES COMMENCENT SI LOIN ?

JE PRENDS AUSSI UNE DE CES SAUCISSES, MANOLITO. TU DIS QU'ELLES SONT BIEN FRAÎCHES ?

TRÈS FRAÎCHES !

R.iii.ip !

TOC !

BAH ! UNE SUSCEPTIBLE, VOILÀ TOUT !

PAPA DIT QUE NON. PAS CE RAGOÛT UNE FOIS DE PLUS. IL PRÉFÈRE DES PÂTES!

MAMAN DIT QU'IL FAUT QUE TU ME DONNES DE L'ARGENT POUR ACHETER DES PÂTES.

PAPA DEMANDE CE QUE TU AS BIEN PU FAIRE DE L'ARGENT QU'IL T'A DONNÉ CE MATIN.

SUSANITA DEMANDE SI ON PEUT LUI PRÊTER UN MAGNÉTO-PHONE.

ET CELLE-LÀ, QUI C'EST?

COMMENT CELLE-LÀ? C'EST UN BEATLE! TU NE VOIS PAS QUE C'EST UN HOMME.

T'AS RAISON, MON POTE.

ET PUIS UN TYPE QUI SE BALADE AVEC LES CHEVEUX LONGS, C'EST PAS TRÈS VIRIL! CHARRIE PAS!

D'ACCORD, MANOLITO, TU AS RAISON. C'EST TRÈS VIRIL DE S'OCCUPER DE LA LONGUEUR DES CHEVEUX DES AUTRES!

TU VOIS? C'EST CELA QU'IL FAUT AU PAYS! DES HOMMES QUI S'INTÉRESSENT À DES CHOSES TRANSCENDENTALES COMME CELLE-LÀ.

...ET PAS DES MINABLES QUI DONNENT DE L'IMPORTANCE AUX CHOSES IMPORTANTES.

MON DIEU! QUEL SPECTACLE!

SI ÇA CONTINUE, ON VA ARRIVER À CE QUE LES FEMMES PENSENT COMME LES HOMMES ET LES HOMMES COMME LES FEMMES!

BIEN DIT, MANOLITO! JE SUIS RAVIE QUE TU SOIS DE MON AVIS!

MANOLITO! HÉ! MANOLITO! MANOLIT

QU'EST-CE QUE TU FAIS ICI, TOI? TU VAS PRENDRE FROID!

PENDE FOID? ATCHOUM?

PRENDRE FROID. ATCHOUM. PARFAITEMENT!

QU'EST-CE QUI SE PASSE?

RIEN, GUILLE EN VERSION INTÉGRALE FUYANT DEVANT LA CENSURE!

APRÈS AVOIR MÛREMENT RÉFLÉCHI, JE SUIS ARRIVÉ À LA CONCLUSION QUE QUAND JE SERAI GRAND, JE SERAI SPÉCIALISTE.

SPÉCIALISTE DE QUOI, MIGUELITO?

NE LE PRENDS PAS MAL, MAMAN, C'EST LA PREMIÈRE FOIS QUE JE VOIS DES CHOSES AUSSI FINES SORTIR DE TA BOUCHE.

QUEL AMOUR ! TIENS, MON CHÉRI, PRENDS UN GÂTEAU !

1205

QU'EST-CE QU'ON DIT À LA DAME GUILLE ?

C'EST TOUT ?

ALLEZ, ENTRE ! ME FAIRE UN TEL AFFRONT !

?

1206

TRAITER COMME ÇA UNE DAME QUI T'A DONNÉ UN GÂTEAU. QU'EST-CE QUE TU VOULAIS ? PAS TOUT LE PAQUET ?

SI !

MAIS MAMAN, LE PAUVRE VOIT QUE LA DAME QUI A UN PAQUET ENTIER NE LUI DONNE QU'UN GÂTEAU...

C'EST COMME SI, DRACULA VOYANT UN BON GROS, DEVAIT SE CONTENTER DE SUCER UNE SAUTERELLE !

1207

TU VOIS ? ÇA C'EST LE B...

AH ?

LE BÂTON POUR MÂTER LES IDÉOLOGIES ?

TU TE TROMPES, FELIPE ! JE NE SUIS PAS UNE PESSIMISTE QUI S'EN PREND À L'HUMANITÉ !

1208

ET JE COMPRENDS BIEN CE QUE TU DIS : QUE CHACUN POUR SA PART VEUT METTRE SON PETIT GRAIN !

MAIS JE NE COMPRENDS PAS CETTE MANIE DE LE METTRE JUSTE DANS L'OEIL DU VOISIN !

39

ON VA VOIR CE QUE GUILLE PENSE DU TOBOGAN.

ON VA VOIR!

LE TOBOGAN! LÀ! LÀ! VITE!

DOUCEMENT GUILLE!

GUILLE, CONTENT! C'EST BEAU LE TOBOGAN!

PAPA!

HUM!

CE QU'IL Y A DANS LE JOURNAL? JE COMPRENDS BIEN QUE C'EST UN FOU MAIS DIS-MOI....

QU'EST-CE QUE ÇA FAIT EXACTEMENT UN MANIAQUE SEXUEL?

ET VOICI VENIR FELIPUS, LE SUPERHYPNO- -TISTE!

JOURS DE GLACE, MIGUELITO. IL FAIT MOINS 20°. TU SENS LE FROID. LE GRAND FROID. TU TE METS À FRISSONNER, FRISSONNER.

FRISS

À TES SOUHAITS.

AATCHOUM!

MERCI!

?

J'AI DÉCOUPÉ CET ENTREFILET POUR TOI MANOLITO. "KENT FROSS, MILLIONNAIRE AUSTRALIEN VIENT D'AVOIR UNE CRISE CARDIAQUE QUI SERAIT, SELON LES MÉDECINS, CONSÉCUTIVE AU SURMENAGE.

QU'EST-CE QUE TU EN DIS? UN MILLIONNAIRE QUI SE TUE AU TRAVAIL?

BAH! IL Y A DES IDIOTS COMME ÇA. ILS PRENNENT GOÛT AUX MILLIONS, ET ILS NE PEUVENT PLUS S'ARRÊTER.

ILS EN VEULENT TOUJOURS PLUS! ENCORE!

ENCORE! ENCORE DES MILLIONS!

ENCORE! ENCORE! ENCORE!

ENC ENC

41

SALUT, FELIPE.

ET BIEN! QU'EST-CE QUI T'ARRIVE? TU NE SALUES PLUS?

UN PAQUET DE RIZ, ½ LIVRE DE FROMAGE RÂPÉ, DEUX SACHETS DE LEVURE... UN PAQUET DE RIZ, ½ LIVRE DE FROMAGE RÂPÉ ET DEUX SACHETS DE LEVURE.

PROFESSION: FILS.

MAIS POURQUOI, PAPA? POURQUOI TU NE M'EXPLIQUES PAS?

PARCE QUE NON!

PARCE QUE TU ES PETITE ET QUE LES PETITS NE COMPRENNENT PAS LES AFFAIRES DES GRANDS!

D'ACCORD! ALORS TU ME PROMETS UNE CHOSE!

QUELLE CHOSE?

QUAND JE SERAIS GRANDE, TU NE VIENDRAS PAS ME DIRE QUE NOUS LES GRANDS NOUS NE COMPRENONS PAS LES AFFAIRES DES VIEILLARDS, HEIN?

L'HOMME N'EST QUE POUSSIÈRE...

...ET IL RETOURNERA EN POUSSIÈRE...

ET C'EST LA FEMME QUI FAIT LE MENAGE?

Je dois être plus prolixe dans mes rédactions. Je dois être plus proxile dans

PROXILE?

YIP-YIP-YIP-YIP YIP-YIP-YIP

prolixe dans mes devoirs. Je dois être plus

43

TE FAIS DONC PAS DE MAU-VAIS SANG PARCE QUE TON PÈRE N'A PAS ENCORE REÇU SON SALAIRE. C'EST NORMAL QUE LES ENTREPRISES AIENT DU RETARD EN CE MOMENT.

EH OUI! NORMAL! C'EST ÇA LE DRAME!

ET C'EST NORMAL AUSSI LA GUERRE DU PROCHE-ORIENT, LE VIETNAM, LE MUR DE BERLIN ET LA MARIRHUANA! HEIN? QU'EST-CE QU'ON FAIT AVEC LE NORMAL?

OH, BON. JE NE PARLAIS PAS DE NORMALITÉS SI TRAGIQUES!

QUOI PAR EXEMPLE? QU'UN CLIENT DE TA BOUTIQUE NE PAIE PAS SON SALAMI? HEIN?

PAS DE COUPS BAS, HEIN! MOINS TRAGIQUES, J'AI DIT!

JE SAIS TOUT MAFALDA!

ÇA Y EST!

TOUT QUOI, SUSANITA!

QUE TON PÈRE N'A PAS ENCORE TOUCHÉ SON SALAIRE! TE FAIS PAS DE SOUCI. ÇA ARRIVE À TOUT LE MONDE. ON ATTEND QUELQUES JOURS ET PUIS ÇA S'ARRANGE.

ET PUIS, TON PÈRE PAYE LES TRAITES DE SA VOITURE. TU VOIS! IL NE FAUT PAS DRAMATISER ET SE VOIR DÉJÀ DANS LA MISÈRE.

NON BIEN SÛR, JE SAIS BIEN MAIS C'EST ÉNERVANT!

BON, LE TOUT EST DE NE PAS PRENDRE LA CHOSE AU TRAGIQUE!

BIEN SÛR.

AH, TIENS! J'OUBLIAIS DE TE DONNER CE QUE JE T'AI APPORTÉ!

QU'EST-CE QUE C'EST?

LE TÉLÉPHONE D'EMILIS, AU CAS OÙ...

QUAND JE SERAI GRAND ET QUE JE TRAVAILLERAI, SI À LA FIN DU MOIS ON NE ME PAYE PAS, TU SAIS CE QUE JE FERAI.

NON.

J'IRAI CHEZ LE DIRECTEUR, L'ADMINISTRATEUR OU JE NE SAIS QUOI AVEC UN RASOIR. UN QUI COUPE! AVEC ÇA JE L'ATTRAPPERAI, JE LE DÉCOUPERAI TOUT DOUCEMENT, TOUT DOUCEMENT JUSQU'À CE QUE LE PLUS PETIT MORCEAU TIENNE DANS LE TROU D'UN TAILLE CRAYON.

JE TE CROIS MIGUELITO!

CROK!

GUILLE! REGARDE TOUTES CES MIETTES QUE TU FAIS PAR TERRE!

TU VAS PLUS M'AIMER?

SI TU FAIS DU SALE, NON!

TON AMOUR, C'EST DU BARATIN ALORS. GARDE-LE TOI!

JE T'AI DIT QUE MON PROBLÈME DE COMMUNI- -CATION, C'EST L'IMPOSSI- -BILITÉ DE NE PAS COMMUNIQUER ?

CHACUN SES PROBLÈMES ! AUJOURD'HUI, MIGUELITO A ÉTÉ INTERROGÉ ET LA MAÎTRESSE LUI A MIS UN ZÉRO.

TANT QUE ÇA ! CETTE MAÎTRESSE EST FOLLE !

TU TE RENDS COMPTE ! TE METTRE ZÉRO ! TA MAÎTRESSE EST FOLLE !

DES AMIS COMME ÇA VOUS RÉCONCILIE AVEC LA VIE !

FFFUN !

MOUAAA !

MAIS... POURQUOI EST-CE À MOI DE LE FAIRE ?

PARCE QUE JE TE L'ORDONNE ET QUE JE SUIS TA MÈRE !

SI C'EST UNE QUESTION DE TITRES, JE SUIS TA FILLE !

ET ON A ÉTÉ DIPLÔMÉ LE MÊME JOUR, NON ?

HE? TU ME TIENS MA GLACE PENDANT QUE JE RENOUE MA CHAUSSURE.

AVEC PLAISIR.

ÇA Y EST, MERCI!

HEIN? DE RIEN!

C'EST MAINTENANT QUE TU SORS, TOI?

JE T'AI DIT NON, GUILLE. C'EST FINI!

MOUAAAA!

QU'EST-CE QU'IL Y A!

MOUAAAAAAAAA!

ÇA Y EST! TU L'AS FAIT PLEURER! SI TU LUI PARLES COMME ÇA, ÉVIDEMMENT!

VAS-Y! DIS TOUT DE SUITE QUE C'EST MA FAUTE! VAS-Y!

AH!

IL EST VRAI QUE LA FAMILLE EST LA BASE DE LA SOCIÉTÉ. J'AVAIS OUBLIÉ!

MOUAA!

FAIS TAIRE CET ENFANT UNE BONNE FOIS, VEUX-TU!

MOUAA!

FAIS-LE TAIRE, TOI! ET NE ME PARLE PAS SUR CE TON!

OH, PARDON! J'AVAIS OUBLIÉ QUE TU AVAIS ÉTÉ ÉLEVÉ AU COUVENT DES OISEAUX!

VOUS AVEZ FINI, NON! LA FAMILLE EST AMOUR! AMOUR!

QU'EST-CE QU'IL Y A?

TON FRÈRE FAIT DES CAPRICES.

VOILÀ TOUT.

SNIF!

MAIS GUILLE, SOIS PLUS COMPRÉHENSIF, BON SANG!

PENSE QUE CES PAUVRES GENS, AVANT DE NOUS ÉLEVER, N'ONT ÉLEVÉ PERSONNE D'AUTRES!

NOUS SOMMES LEURS COBAYES, ON N'Y PEUT RIEN!

47

MAFALDA

QUINO
MAFALDA

*albums cartonnés
21,5 × 29,3 cm
48 pages couleurs*

Achevé d'imprimer par Proost & cie sprl. octobre 1983